Irma Chilton

# EUROG

Gwasg Gomer
1985

Argraffiad Cymraeg cyntaf - 1986
Ail Argraffiad - 1988
Cyhoeddwyd gyntaf ym Mhrydain
gan Hamish Hamilton Ltd., 1969

Teitl gwreiddiol *Goldie*

© y stori: Irma Chilton

© y darluniau: Shirley Hughes


ISBN 0 86383 295 4


Cyhoeddwyd dan gynllun comisiynu'r
Cyngor Llyfrau Cymraeg.

Dymuna'r cyhoeddwyr gydnabod cymorth a
chyfarwyddyd Adrannau'r Cyngor Llyfrau
Cymraeg a noddir gan Gyngor Celfyddydau
Cymru.

Argraffwyd gan J. D. Lewis a'i Feibion Cyf.,
Gwasg Gomer, Llandysul, Dyfed.

# PENNOD 1

Roedd Siân wedi'i siomi. Gwgodd ar y sgrîn deledu. Bu'n edrych ymlaen drwy'r dydd i weld *Sioe Fawr y Pypedau* am wyth o'r gloch. Ond ddarlledwyd mo'r sioe. Yn ei lle cafwyd sgwrs ddiflas gan hen ddyn bach hirwyntog.

Siaradai'r dyn yn ddwys, ac roedd Dad ac Anti Bet yn gwrando'n astud arno. Felly, roedd yn rhaid i Siân wrando hefyd. Teimlai'n ddig. Doedd hi ddim yn deall hanner y geiriau a ddywedai'r siaradwr.

'Be 'di "ar gylchdro", Dad?' gofynnodd, wedi clywed hynny gryn bedair o weithiau.

'Mynd o amgylch,' eglurodd Dad yn gwta, gan ddal i syllu ar y sgrîn.

'Pam fod llong ofod sy'n mynd o amgylch y Ddaear yn peri cymaint o helynt?' ceisiodd eto.

'Bydd ddistaw, Siân,' meddai Anti Bet. 'Aros nes i'r siaradwr orffen cyn dechre holi, neu chawn ni ddim gwybod dim.'

5

'Ddaw'r pypedau ar ei ôl e?'

'Wn i ddim, ond bydd ddistaw am y tro, del.' Dad atebodd y tro hwn.

Roedd e ac Anti Bet yn rhoi sylw manwl i bob gair a ddôi o enau'r gŵr o'u blaenau. Pan ddaeth y sgwrs i ben, dechreuodd Siân obeithio eto, ond yn ofer. Chafodd hi ddim gweld y sioe bypedau. Yn hytrach, ymddangosodd dau ddyn arall i drin a thrafod neges y siaradwr cyntaf. Prin y gallai Siân goelio'r fath beth. Doedd e ddim yn deg!

'Amser gwely,' meddai Anti Bet cyn hir.

'Falle y daw'r pypedau wedi i'r rhain orffen,' mentrodd Siân gan gyfeirio at y sgrîn.

'Go brin,' meddai Anti Bet. 'Mae'n rhy hwyr bellach a phaid ti â dechre strancio heno, o bob noson.'

'Be sy mor arbennig ynglŷn â heno?'

Ochneidiodd Anti Bet heb gynnig ateb. Gwgodd Siân drachefn. Fe fyddai'n dda ganddi hi pan ddôi Mam adre o'r ysbyty. Fe fyddai Mam yn ateb pob cwestiwn a ofynnai.

Gan na châi aros i lawr yn hwy, 'Ddôi di i'm hebrwng i i'r llofft, Dad?' gofynnodd. 'Os gweli'n dda?'

Cododd Dad yn flinedig o'i gadair. 'O'r gore. Ond dim ond am heno, cofia,' rhybuddiodd. 'Rwyt ti'n ddigon hen erbyn hyn i fynd i glwydo ar dy ben dy hun.'

'Am beth oedd y dyn 'na ar y teledu'n sôn?' gofynnodd Siân, wrth iddi hi a Dad ddringo'r grisiau.

'Wel,' atebodd Dad yn bwyllog,
'dweud yr oedd e fod llong ofod o ryw
fyd arall yn teithio o gylch y Ddaear, a
does neb yn gwybod dim amdani heb-
law ei bod hi yno.'

'Ydi hi wedi dod i ymweld â'n byd ni?'

'Ydi, mae'n debyg.'

8

'Be sy o'i le ar hynny? Doedd dim angen iddyn nhw newid y rhaglenni teledu oherwydd hynny.'

'Mmm, wel . . .' synfyfyriodd Dad. 'Rwyt ti'n gweld, dyma'r tro cyntaf i neb o unrhyw fyd arall geisio glanio ar y Ddaear. Does neb yn gwybod sut greaduriaid sy ar y llong, nac oes?'

'Sut rai ydyn nhw a phethe felly?' Daliai Siân i holi wedi cyrraedd ei llofft ac wrth dynnu'i dillad.

'Ie.'

'Fedran nhw ddim danfon llun neu rywbeth . . .?'

'Mae'n bosib, ond does neb yn gwybod sut i ofyn am lun. Mae'r llong wedi bod yn danfon neges gyson er y bore bach, ond does neb all ddehongli'r neges. Fe glywest ti'r siaradwr yn dweud hynny, on'd do?'

'Doeddwn i ddim yn gwrando'n astud iawn.'

Erbyn hyn roedd Siân yn barod am ei gwely, ond eisteddodd ar yr erchwyn gan ddal ati i holi.

'Felly, does neb yn gwybod a ydi'r bobl ar y llong yn gas neu'n ddymunol?'

9

'Does neb yn gwybod ai pobl ydyn nhw, hyd yn oed,' meddai Dad. 'Dyna'r drwg, greda i.'

'Ydyn nhw'n amau mai angenfilod ydyn nhw, fel yr un sy yn 'y nghomic i, yr Anghenfil Naw Coes o Orïon?'

'Wn i ddim, wir,' chwarddodd Dad, 'ond rydw i'n siŵr na fydde'r anghenfil yn dy gomic di'n ddigon galluog i lunio llong ofod, waeth faint o goese sy gan-ddo. Ond does dim angen iti boeni am y peth. Cer di i dy wely a chysgu. Yn Llundain a'r dinasoedd mawrion y bydd yr helynt i gyd, yn ddigon pell o fferm Cae'rfelin.'

Dringodd Siân i'w gwely ac, wedi codi'r gwrthban dros ei hysgwydd, aeth Dad yn ei ôl i'r gegin a'i gadael hi yn hollol effro. Bu'n pendroni'n hir am y llong ofod a'r teithwyr arni gan geisio dychmygu sut rai oedden nhw. Rywbryd fe gaeodd ei llygaid, a thoc gwelodd yr Anghenfil Naw Coes yn agor ei geg fawr ac yn llyncu'r pypedau bob yn un ac un. Wedi gorffen, llyfodd ei wefusau a throi'n awchus tuag ati hi.

Daeth yn nes ac yn nes. Gallai weld y dŵr yn rhedeg o'i ddannedd miniog . . .

'Siân, coda! Mae hi'n hanner awr wedi saith!'

Dihangodd yr anghenfil pan dorrodd llais Anti Bet ar draws yr hunllef. Ymystwyriodd Siân gan ochneidio o ryddhad. Roedd Anti Bet dipyn yn fwy dymunol na'r anghenfil.

Rholiodd allan o'r gwely gan dynnu'r gwrthban ar ei hôl. Fe'i taflodd yn ôl yn swp blêr. Yr unig beth o'i le ar fyw ar fferm, grwgnachodd wrthi hi ei hun, oedd bod yn rhaid iddi hi godi'n gynnar i fynd i'r ysgol, lawn hanner awr o flaen ei ffrindiau yn y pentre.

Pan gyrhaeddodd y gegin roedd Anti Bet yn hulio'r bwrdd brecwast, a'r radio'n mwmial yn y cefndir.

'Y llong ofod 'na,' oedd geiriau cyntaf Anti Bet, 'yn hofran uwchben Cymru fach! Paid â'i ddiffodd e,' meddai, pan estynnodd Siân tua'r radio, 'mae arna i ofn colli dim.'

Daeth Dad i mewn o'r buarth ac at y bwrdd.

'Y llong ofod 'na,' meddai Anti Bet eto. 'Mae hi fel hunllef i fyny acw. Be' mae hi'n ei wneud, 'sgwn i?'

Ochneidiodd Dad. 'Gâd hi fan'na, Bet,' meddai. 'Rydw i 'di cael llond bol arni; trwy'r min nos neithiwr ar y teledu a thrwy'r bore 'ma ar y radio. Mae hynny'n ddigon. Rydw i 'di dod â

Seren i mewn i'r sgubor,' aeth yn ei flaen. 'Fe ddaw hi â'i llo heddiw, mae'n siŵr.'

Doedd gan Siân fawr o ddiddordeb yn y llong ofod chwaith. Seren oedd ei ffefryn ymhlith y gwartheg ac roedd llo Seren yn haeddu sylw.

'Ddaw'r llo cyn imi ddod adre o'r ysgol?' gofynnodd.

'Fe fydd y creadur yma cyn iti fynd, os na frysi di,' meddai Anti Bet. 'Dere at dy fwyd.'

Rhoddodd wy wedi'i ferwi o flaen Siân.

'Wyt ti'n meddwl y ca i amser . . .' dechreuodd Siân, ond torrodd caniad y ffôn ar ei thraws.

Brr . . . Brr . . .

'Go drapio'r hen ffôn 'na!' meddai Anti Bet. 'Pwy, tybed, sy'n galw mor fore?'

Brysiodd i'r cyntedd er mwyn ei ateb, a phan ddaeth hi'n ôl i'r gegin roedd golwg bryderus arni.

'Does dim angen iti frysio dros dy frecwast,' meddai wrth Siân, 'does dim ysgol heddiw.'

14

Cnodd Siân wrth dafell o fara cras cyn gofyn, 'Pam?' Roedd Dad wedi rhoi ei gyllell a'i fforc i lawr er mwyn rhoi ei sylw i Anti Bet.

'Y llong ofod,' eglurodd hi, 'maen nhw wedi'i cholli hi.'

'Wedi'i cholli hi?' gofynnodd Dad yn syn. 'Sut?'

Chwarddodd Siân.

'Sut wn i?' atebodd Anti Bet yn bigog. 'Mr. Tomos, y Prifathro, oedd ar y ffôn. Mae e wedi cael gorchymyn i gau'r ysgol oherwydd bod y llong ofod wedi diflannu. Doedd e ddim yn gwybod dim mwy na hynny.'

Pwysodd Dad ar draws y bwrdd i droi sŵn y radio'n uwch ac fe glywson nhw ddiwedd y newyddion.

'... heb ôl. Y gred ydi, naill ai ei bod hi wedi chwalu wrth fentro i awyrgylch y Ddaear, neu ei bod hi wedi glanio mewn ardal anghysbell. Collodd y gwylwyr hi am hanner awr wedi pump y bore 'ma. Os gwêl un o'n gwrandawyr unrhyw beth anghyffredin, a wnân nhw rybuddio'r heddlu ar unwaith...?'

Chwarddodd Dad wrth droi'r sŵn i lawr drachefn.

'Wedi'r holl whilibawtan,' dirmygodd. 'Synnwn i ddim nad wedi meddwi oedd y gwyddonydd 'na ddoe—ac yn gweld pethe. A nawr mae e'n gwneud ei ore glas i greu rhyw esgus o esboniad. Y gwylwyr wedi ei cholli hi, wir!'

'Paid â siarad yn ffôl,' dadleuodd Anti Bet. 'Beth am yr holl bobl 'ny ar y teledu neithiwr—gwyddonwyr ac athrawon a phob math o ysgolheigion? Roedd rhai ohonyn nhw wedi bod yn dilyn llwybr y llong am oriau. Siawns nad oedden nhw i gyd yn chwil!'

'Smotie ar wydr y telesgop,' meddai Dad. 'Mae miliyne o bethe i fyny acw,' chwifiodd ei law tua'r ffenest i gyfeirio at yr awyr uwchben, 'miliyne o bethe y gallai dyn meddw . . . ac ysgolheigion eu camgymryd am long ofod. Ond mae'r helynt ar ben,' meddai'n foddog, 'ac fe gawn ni ganolbwyntio ar waith fferm unwaith eto. Un peth sy'n dda,' trodd at Siân, 'mae gennyt ti ddiwrnod yn rhydd o'r ysgol ac mae angen help llaw arna i heddiw.'

'Fe ga i weld llo Seren yn cael ei eni hefyd,' meddai Siân.

'Bydd orie cyn hynny ar ei golwg hi,' meddai Dad. 'Hen ddigon o amser iti fynd i lawr at y Cae Isa. Mae rhywbeth yn tarfu ar y gwartheg yno'r bore 'ma. Roedden nhw'n annifyr iawn, yn brefu'n swnllyd ac yn troi a stwyrian, pan es i nôl Seren o'r maes wrth yr afon. Falle bod un o wartheg Huws wedi torri i mewn atyn nhw. Cei di fynd a'i throi hi 'nôl i'w chae ei hun. Mae hi'n hen bryd i Huws drwsio'i wrychoedd,' grwgnachodd. 'Maen nhw'n dylle i gyd a'r creaduriaid yn crwydro fel y mynnan nhw. Fe fydd e'n colli un ohonyn nhw yn siglen y rhos ryw ddiwrnod. Hynny ddaw ag e at ei goed!'

## PENNOD 2

Roedd y llwybr i'r Cae Isa'n llithrig iawn gan iddi fwrw glaw'n drwm trwy gydol y mis. Teimlai Siân yn ffodus iddi hi gyrraedd y gamfa heb syrthio, ac arhosodd yno am sbel. Clywai aroglau dieithr ar yr awel. Doedden nhw ddim yn aroglau cas ond roedden nhw'n annisgwyl. Oglau tebyg i . . . i . . . oglau blodau Ffárwel Ha', ac, eto, roedd sawr bara ffres yno hefyd a . . . a . . . choed pîn yn llosgi . . .

Dringodd i ben y gamfa a thaflu golwg dros y cae. O'r fan honno gallai weld yn glir i lawr at yr afon. Synnodd at beth a welodd. Roedd Dad yn iawn, roedd yno anifail dieithr ymhlith y gwartheg. Caeodd ei llygaid a'u hagor nhw drachefn rhag ofn nad oedd hi'n gweld yn glir. Anifail dieithr iawn.

Ai dafad oedd? Roedd tua'r un maint â dafad, ond doedd ganddo ddim cnu. Roedd yn fwy tebyg i lo bach ond welodd hi erioed lo tebyg i hwn. Roedd yn felyn, mor felyn â'r haul.

Roedd hi'n siŵr nad oedd gan Mr. Huws ddim gwartheg melyn. Gwartheg Henffordd oedd ganddo fe 'run fath â Dad—rhai coch a streipen wen ar hyd cefn ambell un.

Safai'r creadur dieithr ychydig ar wahân i weddill y gwartheg. Roedden nhw wedi ymgasglu at ei gilydd ac yn ei wynebu ond doedden nhw ddim yn brefu bellach. Amheuai Siân fod ofn arnyn nhw. Doedd hi ddim yn teimlo'n gwbl hyderus ei hun. Roedd y llo dieithr yn disgleirio.

Safai ar gwr y cae yn ddigon tawel, ond penderfynodd hi beidio â mynd yn nes ato. Os mai Mr. Huws oedd ei berchen, fe gâi e ddod i'w nôl ei hun. Fe âi hi i ddweud wrth Dad amdano.

'Na.'

Neidiodd mewn braw. Doedd neb yn agos. Craffodd i bob cyfeiriad. Oedd Mr. Huws neu'i was yn y cae nesa? Na, doedd neb yno. Mae'n rhaid iddi hi ddychmygu clywed y llais. Dringodd i lawr o'r gamfa.

'Paid â mynd i ffwr'!'

Nid dychmygu wnaeth hi.

19

'Pwy sy 'na?' gofynnodd. 'Pwy sy'n siarad â mi?'

'Fi.'

'Ond ym mhle wyt ti?'

'Yma.'

Doedd neb i'w weld yn unman, heb-law am y gwartheg a'r llo od. Roedd hi'n siŵr na fedrai'r gwartheg ddim siarad â hi, ond roedd y llo'n symud ei ben mewn ystum deallus iawn.

'Ti?' gofynnodd yn syn. 'Ai ti sy'n siarad â mi?'

'Ie, ddwy goes, fi.'

Yn ei braw syrthiodd Siân i'r llaid a baeddu'i chôt law. Cododd yn araf a cherdded yn betrus tuag at y llo melyn.

'Dyna ti,' meddai hwnnw. 'Tyrd yn dy flaen.'

'Ond . . . ond . . . dydi lloi ddim yn gallu siarad,' meddai hi.

'Nid llo ydw i,' atebodd y creadur yn bigog. 'Doffyn ydw i.'

'Ow,' synnodd Siân fwyfwy. 'Mae'n flin gen i, ond chwrddes i erioed â Doffyn. Dydw i ddim yn gwybod beth ydi Doffyn.'

'Doffyn, y ddwy goes druan, ydi rhywun sy'n hannu o Ddoffa.'

'Fe wela i,' atebodd Siân, er nad oedd hi'n deall yn iawn chwaith. 'Ac ydi'r anifeiliaid sy'n byw yn Noffa i gyd yn gallu siarad?'

'Nac ydyn, wrth gwrs. Mae'r anifeiliaid yn gwneud sŵn â'u cege, 'run fath â thi. Dim ond y bobl sy'n medru siarad â'r meddwl, fel fi.'

Sylwodd Siân nad oedd ceg y Doffyn bach wedi symud o gwbl trwy gydol y sgwrs, ac eto roedd hi'n medru clywed pob sain yn eglur.

'Felly rwyt ti'n siarad yn syth i'm meddwl i, heb wneud sŵn o gwbl,' meddai.

'Yn hollol,' meddai'r Doffyn yn biwis.

'Ond beth wyt ti'n ei wneud yma?' holodd Siân. 'A sut ddaethost ti yma?' Doedd hi ddim am ei ddigio ond roedd e'n tresmasu. 'Un o anifeiliaid Mr. Huws wyt ti?'

'Na,' meddai'r creadur, yn curo'r tir yn ddiamynedd gydag un o'i draed blaen. 'Nid anifail ydw i a does neb yn berchen arna i.' Petrusodd a thawelu rhywfaint cyn estyn ei droed i gyfeirio at lwyn o ddrain ar lan yr afon. 'Yn honna ddois i.'

Gwelodd Siân rywbeth disglair hyd at ei hanner yn y dŵr ac wedi'i guddio bron gan y drain. Roedd yr hyn a welai hi yn debyg i gefn car tegan.

'Be ydi . . .?' dechreuodd, ac yna cofiodd am y llong ofod a gollwyd. Cipiodd olwg cyflym ar y Doffyn bach eto. Tybed . . .?

'Ym . . . ai . . . ai ti . . .?' dechreuodd yn betrus. 'Ti ydi'r anghenfil o'r gofod?'

'Anghenfil wir!' Siglodd y llo ei gynffon yn chwyrn. 'Oes golwg anghenfil arna i?'

'Nac oes. Rwyt ti'n fwy tebyg i lo.'

'Ond fe ddois i mewn llong ofod.'

Ebychodd Siân. Dyma beth oedd helynt! Doedd llongau gofod ddim yn rhan o'r drefn ar fferm Cae'rfelin.

'Pam ddaethost ti yma?' holodd. 'I fferm Cae'rfelin? Roedden nhw'n dy ddisgwyl di draw yn Llundain.'

Collodd y Doffyn ei hunanhyder i gyd. Syrthiodd ei ben yn isel. 'Roedd arna i ofn,' murmurodd.

Synnodd Siân yn fwy fyth.

'Ond pam?' gofynnodd.

'Un bach ydw i. Mae pob Doffyn yn fach. Wyddwn i ddim pa mor fawr oedd trigolion y byd hwn.'

'Ond dydyn ni ddim yn fawr iawn, wir iti,' eglurodd Siân.

'Ond yr adeilade uchel . . .'

'Pa rai?'

'Y rhai welais i o'r llong. Llawer

ohonyn nhw gyda'i gilydd, fel mynydd-
oedd yn ymestyn tua'r awyr.'

'Dydw i ddim yn dy ddeall di o gwbl,'
meddai Siân yn eofn, gan deimlo'n
fwy cartrefol yn ei gwmni bellach.
'Eglura wrtha i beth welaist ti. A
chychwyn o'r dechre'n deg.'

'Rydw i wedi teithio mor bell,'
ochneidiodd y Doffyn bach, 'ac wedi
ymweld â chymaint o fydoedd a chael
pob un yn wag ac yn farw. Ond pan
neseais at hwn, gwelais oleuade, olion
bywyd gwâr. Gorfoleddais. Danfonais
gyfarchion a derbyn atebion.'

'Oeddet ti'n deall yr atebion?' gofyn-
nodd Siân.

'Roedd y blwch iaith yn eu cyfieithu
imi.'

'Y blwch iaith? Be 'di hwnnw?'

'Does dim byd arbennig yn y blwch
iaith,' eglurodd y Doffyn, fel petai e'n
synnu ei bod hi'n gofyn. 'Mae un gan
bob gofodwr.' Cododd garn euraid i
gyffwrdd â lwmpyn bach ar un o'i
gyrn. 'Mae f'un i ychydig yn well na'r
cyffredin oherwydd bod y daith hon yn

un bwysig, ond mae'n siŵr fod pawb yn deall be' ydi blwch iaith.'

Anwybyddodd Siân ei sylw olaf a gofyn, 'Y lwmpyn bach ar dy gorn sy'n peri 'mod i'n dy ddeall di'n siarad a thi'n fy neall i?'

'Wel ie. Mae'n gwbl awtomatig ac yn effeithiol gyda phob math o iaith.'

'Yr annwyl!' ebychodd Siân. Doedd hi ddim yn deall yn iawn ond roedd hi'n awyddus i ddysgu mwy. 'Sut fath o atebion gest ti i dy gyfarchion?' gofynnodd, gan gofio'r dadleuon ar y teledu.

'Cyfeillgar. A theimlwn wrth fy modd . . . ond pan ddois i'n nes, yn ddigon agos i weld . . . ' Roedd sŵn dagrau yn ei lais. 'Pe bait ti ond yn medru synhwyro fel y dymunwn lwyddo ac ennill clod i 'myd ac i 'mrenhines . . .'

'Ond rwyt ti wedi llwyddo,' ceisiodd Siân ei gysuro. 'Rwyt ti wedi cyrraedd. Mae gennyt ti le i deimlo'n falch.'

'Na,' atebodd yn drist. 'Cefais fy nanfon i chwilio rhwng y sêr am bobl debyg inni, nid cewri gymaint ddwywaith â ni. A phan edrychais i'r sgrîn wylio ar y llong a gweld adeilade uchel, y ffyrdd llydan a cherbyd hir yn ddigon mawr i gludo cannoedd ohonon ni, dychrynais.'

'Gwranda,' meddai Siân yn dechre deall beth a ddigwyddodd. 'Mae llawer o bobl yn byw yn y fflatiau uchel yn y trefydd, a llawer mwy yn gyrru ar hyd y ffyrdd, ac mae'n rhaid mai trên yn cludo llawer o bobl oedd y cerbyd a welaist ti. Does dim trefi ar Ddoffa, lle bydd llawer o bobl yn tyrru i fyw gyda'i gilydd?'

Siglodd y Doffyn ei ben. 'Na, dim ond unwaith y flwyddyn y byddwn ni'n dod at ein gilydd—i'r Gynhadledd,' meddai. 'Heblaw am hynny, rydym yn byw fwy neu lai ar wahân. Pan welais y pethe hynny, peidiais â danfon cyfarchion. Fe geisiais fy ngore i ddianc allan i'r gofod drachefn ond roeddwn i wedi disgyn yn rhy isel. Fedrai'r llong ddim codi yn ei hôl. Bu'n rhaid imi lanio.ac fe laniais i yma. Ac rydw i'n dal yn ofnus,' gorffennodd yn benisel.

'Druan ohonot ti,' cydymdeimlai Siân. 'Ond does dim byd iti ei ofni, wir. Edrycha,' cyfeiriodd at y gwartheg, 'dyna faint ein hanifeiliaid ni ac er bod pobl mewn oed ychydig yn dalach na mi, does neb yn enfawr. Ac mae pawb yn garedig. Dwyt ti ddim yn f'ofni i, nac wyt?'

Syllodd y creadur arni mewn pen-bleth. Edrychodd draw at y gwartheg ac wedyn yn ôl ati hi. Roedd ganddo lygaid brown cynnes, llygaid digon tebyg i lygaid Seren. Wrth gofio am Seren, teimlai Siân ei bod hi'n hen bryd iddi hi ddychwelyd i'r tŷ neu byddai Dad yn meddwl ei bod hi wedi mynd i grwydro. Heblaw am hynny, roedd yn smwcian glaw a doedd hi ddim am wlychu. Ond doedd hi ddim am adael y creadur bach od hwn ar ei ben ei hun chwaith.

'Mae'n rhaid imi fynd,' meddai wrtho. 'Oes rhywbeth y medra i ei nôl iti? Fedra i dy helpu di o gwbl? Dydw i ddim yn meddwl y dylet ti aros yma.'

Petrusodd y Doffyn. Edrychodd eto

ar y gwartheg yn sefyll yn ddiflas yn y
cae.

'Wyt ti'n siŵr bod y rhai pwysig yn
garedig?' gofynnodd.

'Mae pawb yn garedig,' mynnodd
Siân. 'Fydd neb am wneud niwed iti.
Fe fyddi di'n enwog.'

'Felly,' atebodd y Doffyn, 'mae'n
rhaid imi ymwroli. Arwain fi at y
Frenhines.'

Llyncodd Siân ei phoer yn rhy gyflym a bu'n pesychu'n gas am ysbaid. 'Dydw i ddim yn meddwl y medra i wneud hynny,' eglurodd wedi gwella. 'Wn i ddim sut . . . Mae'n well iti ddod i weld Dad yn gyntaf. Fe fydd o'n gwybod beth i'w wneud. A beth ydi dy enw di, gyda llaw? Mae'n rhaid imi wybod dy enw er mwyn imi dy gyflwyno di i'r bobl.'

Clywodd ryw sŵn yn ei phen. Rhywbeth tebyg i 'Erglwgochlinrom'.

'Mae'n rhy hir ac yn rhy anodd imi,' meddai. Syllodd ar gôt y dieithryn, 'Ga i dy alw di'n "Eurog"? Mae'n gweddu iti gan dy fod ti'n aur i gyd.'

Roedd y Doffyn wedi'i blesio'n fawr â'r enw, a chytunodd ar unwaith.

'Wel, dere, Eurog,' meddai Siân. 'Fe awn ni i chwilio am Dad.'

'Dad?' Petrusodd Eurog eto. 'Beth ydi Dad? Fe sy'n berchen arnat ti?'

Gwenodd Siân. 'Na wir. 'Nhad i ydi e. Does neb yn berchen arna i. Ar y Ddaear does neb yn berchen ar bobl.'

'Nac ar Ddoffa chwaith,' meddai Eurog. 'Ond ar Ddoffa mae gan bob dwy goes berchennog.'

'Pob dwy goes?' Siân oedd mewn pen-bleth bellach. 'Oes pobl fel ni ar Ddoffa, felly, ond eich bod chi'n eu galw nhw'n "ddwy goese"?'

'Oes, siŵr. Ac maen nhw'n greaduriaid bach campus. Mae 'nwy goes i'n alluog iawn; yn deall pob dim a ddyweda i—ac yn wych am ddal llygod. Erbyn meddwl, rwyt ti'n beth bach digon siarp dy hun. Rwyt ti'n siarad yn eglur iawn.'

Daeth teimlad od dros Siân. Roedd hi'n dechrau deall bod bywyd ar Ddoffa wedi'i drefnu'n wahanol iawn i fywyd ar y Ddaear.

'Wyt ti'n honni mai anifeiliaid ydi pobl fel fi ar Ddoffa?'

'Wrth gwrs,' atebodd Eurog yn rhwydd. 'Maen nhw'n cael eu hanwylo hefyd. Rydw i'n ffoli ar fy . . .'

Peidiodd â siarad. Gwelodd Siân ei lygaid yn agor led y pen. Trodd eto i edrych ar ei long.

'Chi, y dwy goese, ydi'r perchenogion yma?' holodd yn frawychus.

'Ie,' meddai Siân.

Ciliodd Eurog yn ei ôl gam neu ddau. 'Ond beth amdanyn nhw?' holodd yn grynedig gan gyfeirio at y gwartheg. 'Tybiwn imi lanio ymhlith pobl gyntefig iawn, gan nad oedden nhw'n ateb wrth imi siarad â nhw.'

Chwarddodd Siân. 'Nid pobl ydyn nhw, ond gwartheg,' meddai, 'a rhai da hefyd.'

'Rydw i'n gweld,' crynodd Eurog. 'Creaduriaid anwes ydi'r Doffiaid tew, anneallus hyn.'

'Ddim yn hollol,' meddai Siân, 'ond maen nhw'n werthfawr iawn.'

'Beth maen nhw'n ei wneud?' pwysodd Eurog. 'Be ydi eu gwaith nhw? Does bosib eu bod nhw'n dal llygod.'

'Na. Mae gennym ni gathod at hynny. Ond mae'r gwartheg yn bwysig,' pwysleisiodd Siân. 'Yr anifeiliaid mwya gwerthfawr ar y fferm, yn ôl Dad.'

'Anifeiliaid,' meddai Eurog yn drist. 'Dim ond anifeiliaid.' Crynodd o'i gynffon at ei ysgwyddau. 'Gwn bellach pam i'r ofn gydio mor gryf ynof cyn glanio. Yma, mae'r dwy goese ffyrnig wedi tyfu'n fawr a nhw ydi'r meistriaid. Nhw sy'n rheoli'r rhai mwyn.'

Gwyrodd Siân ei phen. Fedrai hi ddim diodde gweld y tristwch yn ei lygaid.

'Dyna fel y bu hi erioed yma,' eglurodd. 'Ond dydyn ni ddim yn ffyrnig, wir. Does dim angen iti bryderu cymaint. Fe gei di groeso anrhydeddus i'n plith ni.'

34

Disgynnodd Eurog yn swp bach truenus i'r glaswellt gwlyb. Cuddiodd ei lygaid â'i garnau euraid. Doedd dim cysgod o falchder yn perthyn iddo nawr. Ymddangosai'n fach ac yn unig iawn. Teimlai Siân drueni mawr drosto.

'Mae'n rhaid imi ei helpu,' meddyliodd, 'mae'n rhaid.' Ond sut?

# PENNOD 3

Symudodd Siân yn nes at Eurog. Eis-teddodd yn ei ymyl heb boeni am y glaswellt gwlyb. Tynnodd ei llaw'n dyner dros ei gefn. Roedd e'n hynod o debyg i'r lloi bach er bod ei gôt yn fwy llyfn. Cyn hir, fe fagodd e ddigon o hyder i bwyso'i ben ar ei harffed hi.

'Mae'n rhaid imi ddianc, ddwy goes,' meddai'n ddwys, 'cyn i'r arweinwyr gael hyd imi. Fynnwn i ddim cael fy nhrin fel anifail.'

'Does neb yn mynd i dy drin di fel anifail,' ceisiodd Siân ei galonogi, 'nid ar ôl dy daith ryfeddol. Mae dynion mwya galluog y Ddaear yn awyddus i gwrdd â thi. Rwyt ti'n . . . rwyt ti'n arbennig iawn.'

'Na.' Siglodd y pen euraid yn araf. 'Pe bait ti, ddwy goes, yn dod i Ddoffa, fe fyddem yn rhyfeddu atat. Fe gaet ti le da i fyw a dôi Doffiaid o bell i syllu arnat—y ddwy goes a deithiodd drwy'r gofod. Fe gâi dy gamp ei chanmol i'r entrychion, ond anifail fyddet ti. Yma,

fi ydi'r anifail. Byd y dwy goese ydi
hwn. Doffa ydi byd y Doffiaid. Peth ffôl
oedd teithio rhwng y sêr. Dyna'r neges
y mae'n rhaid imi ei chludo 'nôl at 'y
mhobl. Os gweli'n dda,' trodd ac
edrych i fyw ei llygaid hi, 'os gweli'n
dda, rho gymorth imi ddianc.'

'Fydde hi ddim yn well iti adael i
rywun wybod dy fod ti wedi glanio, cyn
troi'n ôl?'

'Na, gwell peidio. Mae dy bobl di'n
fwy ffyrnig na 'mhobl i. Pe baech chi'n
gwybod am ein byd ni, fe fyddech yn
ysu am ddod yno a falle y byddem yn
gyfeillion am gyfnod, ond ddim am
byth. A phe dôi rhyfel rhyngom fe
wnaech chi ein curo ni'n hawdd. Ac
wedyn,' gwyrodd ei ben, 'ni fyddai fy
mhobl i ddim gwell na'r trueiniaid
acw.' Cyfeiriodd at y gwartheg ac yna
ymwrolodd a'i hwynebu'n gadarn.
'Wna i ddim arwain dwy goese galluog
i Ddoffa. Fe fydde'n well gen i beidio â
dychwelyd o gwbl na bradychu fy
mhobl felly.'

Cydymdeimlodd Siân ag e.

'Fedri di droi'n ôl?' gofynnodd.

'Mae digon o danwydd gen i,' meddai. 'Mae'r llong yn gyfan. Unwaith y coda i o'r tir, bydd yn hawdd dychwelyd.'

'Dyna ti 'te.' Teimlai Siân ryddhad mawr. 'Dôs. Ddyweda i ddim wrth neb 'mod i wedi dy weld ti. Fedr y gwartheg ddim siarad. Os na wnei di ddangos golau nac arwydd wrth fynd, fe fyddi'n ddiogel.'

'Na,' roedd Eurog yn dal yn benisel. 'Mae'r llong wedi suddo i'r tir acw. Fedra i mo'i symud hi heb gymorth. Mae hi'n fach ond yn drwm iawn ac mae angen darn o dir gwastad chwe gwaith cymaint â hi ei hun cyn y medr hi godi. Dydi'r clwt wrth ymyl y dŵr ddim yn ddigon.'

'Paid â phryderu am hynny,' meddai Siân. 'Gall Dad ddod â'r tractor i lusgo'r llong i fyny at y rhos. Mae digon o dir gwastad yno.'

'Oni fedri di ddod â'r peiriant llusgo dy hun?' gofynnodd Eurog yn amheus. 'Dydw i ddim am i neb arall wybod 'mod i yma. Beth pe baen nhw'n ceisio 'nilyn i 'nôl i Ddoffa?'

39

Chwarddodd Siân. 'Wnâi Dad mo dy ddilyn di i unman,' meddai'n bendant. 'Wnaiff e ddim 'madel â Chae'rfelin i ddod i lan y môr am wythnos yn yr haf! Mae Mam yn taeru mai'r baw ar ei sgidie sy'n ei lynu i'r tir. Does dim angen iti bryderu amdano fe. A fedra i ddim dod â'r tractor fy hun. Fedra i mo'i yrru.'

Roedd hynny'n wir. Mentrodd unwaith ond roedd ei choesau fymryn yn rhy fyr i gyrraedd y brêc. Cafodd ffrae gan Dad a braw hefyd pan restrodd e'r peryglon a oedd ynghlwm wrth chwarae â pheiriannau.

Ymystwyriodd y creadur bach yn anhapus.

'Dere,' anogodd Siân, 'dere at y tŷ i gael gair bach gyda Dad. Bydd e'n gwybod be' sy ore.'

Dal i betruso yr oedd Eurog. 'Dydw i ddim yn mynd i mewn i'r lle yna,'

meddai gan gyfeirio at y tŷ. Trodd arni'n wyllt. 'Rwyt ti'n ceisio fy maglu i.'

'Dydw i ddim,' mynnodd Siân, yn colli'i hamynedd. 'Wir, rwyt ti'n greadur annifyr. Dydw i ond yn gwneud fy ngore i dy helpu di.'

Gyda hynny, cofiodd am Anti Bet. Er bod Eurog yn dwt a thaclus, ei gyrn a'i garnau'n disgleirio, doedd hi ddim yn meddwl y byddai croeso iddo yn y tŷ.

'Falle dy fod ti'n iawn hefyd,' cyffesodd yn fwy tawel, 'ond dere cyn belled â'r buarth. Cei aros yn y sgubor a daw Dad yno i gael sgwrs â thi. Mae digon o wair iti orwedd arno. Fe fydd yn fwy cysurus iti na fa'ma ac . . .' Taflodd olwg ar y cymylau trwm yn casglu uwchben, '. . . fe gei di gysgod rhag y glaw. Dere nawr,' anogodd. 'Fyddi di ddim gwell o aros fan hyn.'

Cododd Eurog yn araf. Heb edrych arni, tuthiodd yn dawel wrth ei hochr ar draws y cae. Synnodd hi mor heini oedd e wrth ddringo'r gamfa. Doedd dim angen help arno o gwbl. Dringodd

y llwybr at y tŷ yn hollol ddidrafferth er nad oedd e ddim yn hoffi'r llaid. Gwenodd wrth ei weld e yn siglo'i garnau'n gysetlyd i gael gwared ohono.

Mynd drwy gât y cefn oedden nhw pan glywodd Siân lais Anti Bet yn galw.

'Rydw i'n dod,' atebodd, er mwyn dangos ei bod hi wedi clywed. 'Mewn fan hyn,' meddai wrth Eurog, gan ei wthio i'r sgubor. 'Fe fydda i 'nôl cyn gynted ag y medra i,' meddai, gan gau'r drws.

Doedd hi ddim am i Anti Bet wybod dim am Eurog hyd nes iddi hi gael cyfle i sôn wrth Dad amdano yn gyntaf.

Gyda hynny agorodd drws y tŷ. Anti Bet oedd yno. 'Siân, ble mae dy dad?' gofynnodd. 'Mae pedwar gŵr bonheddig yma am gael gair gydag e.'

Sylwodd Siân ar y car du yng nghornel y buarth. Gwelodd gysgodion dynion drwy ffenest y gegin. Adnabu un ohonyn nhw—Siencyn, plismon y pentre. Dechreuodd ei chalon guro'n drwm. Roedd ganddi amcan beth oedd neges y gwŷr hyn. Rywsut, roedd rhywun ar drywydd Eurog. Daeth y dynion yma i'w nôl. Yn sydyn, teimlai'n hoff iawn o'r Doffyn bach a oedd mor unig mewn byd dieithr.

Daeth Dad heibio i dalcen y certws. Roedd e wedi clywed Anti Bet yn holi Siân.

'Be' sy?' galwodd. 'Rhywun am 'y ngweld i?'

Carlamodd Siân ar draws y buarth tuag ato. Roedd yn rhaid iddi hi ei rwystro rhag mynd i'r gegin. Roedd yn rhaid iddo gael clywed ei stori hi, a hynny cyn mynd i siarad â'r ymwelwyr annisgwyl.

Bu agos i Siân faglu dros draed Dad, ond fe lwyddodd e i gydio ynddi. Cyn iddo fedru dweud dim, dechreuodd hi ar ei stori:

'Dad, mae rhywbeth wedi digwydd, mae'n rhaid imi ddweud . . .'

'Ara deg, Siân,' atebodd. 'Fe ddo i atat ti mewn munud. Mae dieithriaid yn y gegin eisie gair yn gyntaf—rhai pwysig hefyd, a barnu wrth olwg y car acw.'

Dechreuodd gamu'n bwrpasol tua'r drws.

'Aros eiliad,' crefodd Siân, gan duthian yn ei ymyl, '. . . rhywbeth i'w wneud â'r gwartheg.'

Arafodd Dad ei gamau. Doedd dim ar wyneb y ddaear yn fwy pwysig na'r gwartheg, yn ei farn e.

'Be sy 'te?' gofynnodd.

'Wyt ti'n dod? Brysia.' Anti Bet oedd wrth y drws eto.

'Mewn munud,' atebodd Dad. 'Nawr Siân, bwrw iddi.'

'Y llong ofod,' dechreuodd Siân,
'mae hi lawr . . .'

A dyna cyn belled ag yr aeth cyn i'r
pedwar dyn ddod allan o'r tŷ a chroesi
atyn nhw. Fedrai Siân ddim mynd yn
ei blaen a nhw yno'n gwrando pob

gair. Trodd i wgu ar y dyn main, tal a wisgai het ddu, a sylwodd fel y safai Siencyn, y plismon, ryw ychydig o'r naill du.

Cyfarchodd Dad yr ymwelwyr yn gwrtais.

'Mr. Morus?' holodd y dyn main.

'Digon posib,' atebodd Dad. Doedd e ddim yn hoff o ddatgelu dim—ddim hyd yn oed ei enw—i ddieithriaid.

'Dydw i ddim am dorri ar draws eich gwaith chi,' aeth y dyn yn ei flaen yn fursennaidd, 'ond rydw i am gael eich caniatâd i chwilio drwy'r adeilade a thros y tir.'

'Yn wir?' Cododd Dad ei aeliau mewn syndod. 'Ga i ofyn ar ba awdurdod rydych chi yma ac am beth y byddwch yn chwilio?'

'Na chewch,' atebodd y dyn. 'Does gennych chi ddim hawl gwybod y pethe hynny ond fe fedra i eich sicrhau ein bod ni yma ar fater o bwys mawr, mater yn ymwneud â diogelwch y deyrnas.'

Siaradai'n awdurdodol, fel pe bai e wedi arfer â chael pawb yn ufuddhau iddo heb ofyn cwestiwn. Gwelodd Siân yr olwg ar wyneb Dad a phesychodd er mwyn cael esgus i godi'i llaw at ei cheg i guddio'i gwên. Doedd Dad ddim yn hoffi gweld neb yn sbecian dros ei dir e, ar y gore.

'Does gen i ddim dewis felly,' meddai'n gwta. 'Nid gofyn caniatâd ydych chi, ond fy rhybuddio eich bod chi'n mynd i wneud.'

'Wel, ie,' cytunodd y swyddog. 'Cwnstabl, dangoswch y warant i Mr. Morus, er mwyn cadw pob dim mewn trefn.'

'Rydw i'n siŵr fod pob dim mewn trefn,' meddai Dad. 'Ac mae'n debyg fod yn rhaid ichi wneud eich dylet-swydd.'

Gwingodd Siân ar hynny. Roedd Dad wedi ildio yn rhy hawdd. Pe baen nhw'n mynd i chwilio yn y sgubor, fe gaen nhw hyd i Eurog. Sut fedrai hi osgoi hynny?

'Dad,' murmurodd, gan gyffwrdd â'i fraich er mwyn tynnu'i sylw. 'Paid â gadael iddyn nhw fynd i'r sgubor.'

Gwenodd Dad arni.

'Fe fyddai'n dda gen i pe baech chi'n peidio â chwilio'r sgubor,' gofynnodd yn gwrtais. 'Mae gen i fuwch yno ar ddod â llo. Dydw i ddim am i neb darfu arni am y tro.'

Ochneidiodd Siân mewn rhyddhad —ond yn rhy fuan.

'Amhosib cytuno â hynny,' meddai'r swyddog yn bendant. 'Rhaid chwilio'n drylwyr. Mae Siencyn yn ŵr lleol. Siawns nad ydi e'n gyfarwydd â gwartheg. Fe gaiff e chwilio'r sgubor.'

Cefnodd Siân arnyn nhw a chychwyn yn llechwraidd tua'r sgubor, gan fwriadu rhybuddio Eurog a'i guddio cyn i Siencyn fynd yno'n drwyn i gyd.

Sylwodd y swyddog arni a gwaeddodd, 'Ble wyt ti'n mynd?'

Arhosodd a chnoi'i gwefus isa mewn penbleth. Doedd hi ddim am roi lle iddyn nhw amau bod dim byd yn y sgubor na ddylai fod yno.

'Tyrd fan hyn,' gorchmynnodd y swyddog. 'Mae'n rhaid iti aros yma nes bod y cwnstabl wedi gwneud ei waith.'

Dyma beth oedd helynt. A doedd dim byd y gallai hi ei wneud heb beri i'r swyddog ddrwgdybio. Roedd hi'n bwrw glaw yn drwm erbyn hynny a symudodd y cwmni i gysgod y tŷ gwair. Tynnodd Dad hi dan do. Roedd y swyddog yn taenu map dros fwrn o wair. 'Map o'r fferm ydi hwnna,' meddai Dad, yn sbecian dros ei ysgwydd.

'Cywir,' cytunodd y gŵr yn llym. Yna, anwybyddodd Dad a dechrau trefnu'i wŷr. 'Dorkins, chwilia di'r adran i'r dde sy wedi'i lliwio'n goch ar y map, a thithe, Bowen, y gogledd sy wedi'i lliwio'n felyn. Y drefn arferol.' Roedd mapiau gan y ddau ŵr ac am eiliad neu ddwy fe fuon nhw'n eu cymharu â'r map mawr. 'Byddwch yn ôl yma'n brydlon erbyn hanner awr wedi deuddeg,' gorchmynnodd eu pennaeth. 'Peidiwch ag oedi wrth y gwaith. Arolwg buan, dyna i gyd. Fe fydd gwŷr y fyddin yma'r p'nawn 'ma. Eu gwaith nhw ydi chwilio yn fanwl.'

Aeth Dorkins a Bowen allan o'r buarth.

'Oes rhywbeth y medra i ei wneud?' cynigiodd Dad.

'Ddim ar hyn o bryd. Rydw i'n mynd i hebrwng y ffŵl cwnstabl hwn o gylch y tai allan . . . O, ie,' cofiodd am rywbeth yn sydyn, 'fe hoffwn gael stafell yn y tŷ i'w defnyddio fel pencadlys y p'nawn 'ma; rhywle cyfleus a phreifat

52

lle y galla i dderbyn adroddiade'r chwilwyr.'

'Mae'n well i chi gael gair gyda'm chwaer ynglŷn â hynny,' meddai Dad. 'Hi sy'n gofalu am y tŷ tra bo 'ngwraig i yn yr ysbyty. Fydde ots gennych chi pe bawn i'n dod o gwmpas y tai allan gyda chi? Dydi llawr ambell le ddim yn ddiogel . . .'

'Amhosib,' torrodd y swyddog ar ei draws. 'Busnes cyfrinachol ydi hwn. Rydw i dan orchmynion pendant i'w gadw felly.'

Teimlai Siân fel poeri ar ei sgidiau sgleiniog. Doedd dim byd yng Nghae'r-felin yn gyfrinach oddi wrth Dad . . . heblaw am . . . Eurog. Doedd e ddim yn gwybod dim am Eurog . . .

'Oes ots gennych chi, felly, imi weithio yn y buarth tra rydych chi wrthi?' gofynnodd Dad, â min yn ei lais.

'Na,' oedd yr ateb, 'dim ond ichi gofio peidio ag ymyrryd dim â'n gwaith ni. Mae'n rhaid i bawb ddeall fod hyn yn fater o'r pwys mwyaf. Mae'n bosib bod

dyfodol y Ddaear yn dibynnu ar yr hyn y cawn ni hyd iddo yma.'

Llusgodd Siân wrth sodlau Dad a'r swyddog. Sylwodd mor gefnsyth oedd Dad a gwyddai ei fod e'n ddig. Ar hynny, gwelodd Siencyn yn brasgamu allan o'r sgubor a chododd ei chalon i'w llwnc.

'Be' sy'n bod ar y plentyn?' holodd y swyddog. 'Mae golwg ddiflas iawn arni.'

Roedd yn gas gan Siân bobl fyddai'n siarad amdani fel pe na bai hi yno. Tynnodd ei bys o'i cheg. Fe fu'n cnoi ei hewin yn ei chynnwrf.

'Mae hi'n pryderu am y fuwch,' eglurodd Dad, 'fel yr wyf i.' Pwysodd ei law ar ysgwydd Siân. 'Fe fydd Seren yn iawn,' ceisiodd ei chysuro ac roedd hi'n ddiolchgar ei fod e'n derbyn mai Seren oedd wrth wraidd ei chynnwrf. Pe bai e ond yn gwybod y gwir!

Croesodd Siencyn yn hamddenol tuag atyn nhw. Cododd calon Siân rywfaint. Falle fod Eurog wedi cael cyfle i guddio.

'Wel?' holodd y swyddog het ddu, a daliodd Siân ei hanadl.

'Popeth yn iawn yno. Dim byd amheus,' atebodd Siencyn—ac fe gafodd Siân anadlu'n rhydd eto.

'Dos i'r tŷ,' anogodd Dad. 'Fe gei di annwyd yn sefyllian yma.'

Yn anfoddog iawn, fe aeth Siân, nid heb daflu golwg tua'r sgubor. Fe fyddai'n dda ganddi gael gwybod beth a ddigwyddodd i Eurog ond doedd ganddi ddim gobaith tra bo'r swyddog llygaid barcud hwnnw yn ei gwylio.

Yn y tŷ cafodd nad oedd Anti Bet yn ei hwyliau gorau. Bu'r swyddogion yn ei chegin hi ar hyd y bore a chas beth ganddi oedd cael dynion yn y tŷ dan draed. Clywsai Siân hi'n dweud hynny'n aml. Fedrai hi ddim achwyn yn agored wrth y gwŷr pwysig, felly fe gafodd Siân du min ei thafod yn eu lle nhw.

'. . . côt law dda wedi'i baeddu . . . coese budron . . . dillad yn wlyb . . . gollwng dafne ar hyd y llawr . . .' Ymlaen ac ymlaen hyd syrffed. Doedd

fawr o ots gan Siân, a dweud y gwir. Roedd hi wedi hen arfer â grwgnach Anti Bet. Y cwestiwn mawr a lenwai'i bryd oedd—beth a ddigwyddodd i Eurog?

Toc wedi deuddeg daeth y prif swyddog a Siencyn nôl i'r tŷ. Cyrhaedd-odd Dorkins bron ar eu sodlau. Aethant ill tri i'r parlwr. Gan ei bod hi'n ysu am gael gwybod beth a ddig-wyddodd, aeth Siân i'r cyntedd a chlustfeinio wrth ddrws y parlwr.

Roedd gan y prif swyddog lais cyr-haeddgar. 'Wel?' gofynnodd. 'Welaist ti rywbeth, Dorkins?'

'Naddo,' atebodd y truan gwlyb hwnnw, 'ac rydw i'n ame bod rhywun yn tynnu coes, ydw wir, syr. A'r byd i gyd ganddo, pa greadur yn ei iawn bwyll a'i synnwyr a ddôi i dwll fel hwn —ac yn y glaw hefyd?'

'Falle nad oedd ganddo ddewis. Wyddon ni ddim pa mor gyfrwys ydi e. Falle bydd Bowen wedi sylwi ar ryw-beth. Hoffwn gael awgrym i'w gynnig i wŷr y fyddin y p'nawn 'ma. Ond does dim disgwyl darganfod llawer ar y cip cyntaf.'

Cyrhaeddodd Bowen gyda hynny a daeth Dad i'r tŷ at ei ginio tua'r un pryd.

'Chedwi di mo'r llo newydd 'na am hir,' meddai Siencyn wrtho. 'Mae 'na olwg digon od ar y creadur.'

Sylweddolodd Siân ar amrantiad beth oedd wedi digwydd! Roedd Siencyn wedi gweld Eurog ond wedi meddwl mai llo Seren oedd e. Roedd Eurog yn ddiogel felly. Bu rhaid iddi hi wthio'i hances i'w cheg i fygu'i chwerthin.

Rhedodd ar ôl Dad, oedd eisoes yn brasgamu tua'r sgubor. Roedd llo Seren yn bwysig iddo, yn bwysicach nag unrhyw swyddog awdurdodol, ac os oedd llo Seren wedi'i eni, roedd e am fynd yno i'w weld ar unwaith. Roedd yn rhaid iddi hi ei rybuddio cyn iddo gyrraedd a dychryn. Gafaelodd yn ei fraich. Arafodd ond doedd ganddo fawr o amynedd i aros.

'Nid llo Seren sy yn y sgubor,' eglur-odd yn gyflym, ac mewn un ffrwd wyllt adroddodd hanes y bore wrtho.

Wedi dod dros ei syndod cyntaf, gwrandawodd Dad arni ond doedd e ddim yn ei chredu. Ni allai hi ei feio am hynny.

'Wyt ti'n siŵr nad wyt ti ddim yn dychmygu?' gofynnodd Dad, wedi i Siân orffen ei stori.

'Wrth gwrs fy mod i,' atebodd hi, 'ac mae'n rhaid inni wneud rhywbeth i helpu Eurog ar unwaith, cyn bod yr hen swyddog cas 'na'n llenwi'r lle â'i filwyr. Os cân nhw hyd i'w long ofod e, fyddan nhw ddim yn rhoi'r ffidil yn y to nes ei ddal. Wnei di ddim gadael iddyn nhw wneud hynny, na wnei Dad?' crefodd.

'Yn gyntaf, mae'n rhaid imi gael at y gwir,' meddai Dad, yn camu tua'r

sgubor. 'Does arna i ddim eisie llo sy'n siarad yng Nghae'rfelin 'ma. Fferm ydi hon, nid syrcas.'

'Wyt ti yna, Eurog?' sibrydodd Siân wrth agor y drws. Roedd hi'n sicr y byddai Dad yn fodlon helpu Eurog, wedi cael cyfle i sgwrsio ag e.

'Mw,' meddai Seren, wrth glywed eu sŵn ond doedd dim ateb gan Eurog.

Aeth Dad yn union at Seren a dechrau'i mwytho. 'Sut wyt ti, 'te?' holodd yn dyner. 'Ddim yn rhy sionc. Y ffŵl Siencyn 'na! Dydi e ddim yn gwybod y gwahaniaeth rhwng llo a phreseb.'

Roedd Siân yn chwilio'n wyllt rhwng y byrnau gwair. 'Dad,' wylodd, 'mae e wedi mynd.'

'Rwyt ti'n siŵr iddo fod yma, wrth gwrs,' oedd ateb Dad.

'Ydw,' mynnodd Siân.

Roedd hi'n prysur golli'i hamynedd. Heddiw roedd hyd yn oed Dad yn styfnig.

'Fe welodd Siencyn e,' meddai. 'Mae hynny'n profi iddo fod yma ac mae'n rhaid inni gael hyd iddo. Mae e mor fach ac mor ofnus.'

'Fe welodd Siencyn rywbeth,' meddai Dad. 'Sut wn i mai llo o'r gofod oedd e? Ti sy'n dweud hynny.' Trodd ei sylw yn ôl at Seren. 'Bydd yn rhaid imi ddanfon am y ffarier i gael golwg ar hon . . .' aeth yn ei flaen.

Gwylltiodd Siân gan gau ei dyrnau'n dynn. Doedd Dad ddim yn hidio am neb heblaw am Seren. Pam na fuasai'n gwrando arni hi am unwaith?

'Falle'i fod e wedi mynd nôl at ei long,' meddai. Gafaelodd ym mraich Dad. 'Plîs, Dad, dere gyda mi i weld.'

'Nawr Siân,' meddai Dad yn ddifrifol, 'os wyt ti'n mynd â fi ar siwrne seithug, fe fydda i'n ddig iawn. Rydw i 'di colli mwy na digon o amser heddiw fel ag y mae hi—ac mae 'nghinio i'n aros.'

'Dere Dad, fyddwn ni ddim yn hir ac fe fyddi di'n gwybod y gwir wedyn.' Roedd Siân eisoes yn cychwyn.

'At yr afon a dim pellach, cofia,' meddai Dad.

Grwgnachodd wrth lithro ar y llaid ar y llwybr. Wrth groesi'r gamfa, rhwygodd ei glos ar hoelen. Doedd e ddim mewn hwyl dda erbyn cyrraedd gwaelod y cae a doedd dim sôn am y Doffyn bach chwaith.

Ochneidiodd Siân. Wyddai hi ddim beth oedd i'w wneud ymhellach, ond cafodd gip ar drwyn y llong yn ymwthio drwy'r drain.

'Fe gei di weld y llong, o leia,' meddai, gan redeg tuag ati. 'Dyma hi. Weli di, dydi hi ddim wedi'i gwneud o . . .'

'Paid â'i chyffwrdd hi!' gorchmynnodd Dad, wedi dod y tu ôl iddi hi'n sydyn. Anelodd gic at y llong fach. Doedd dim angen pwyso arno i dalu sylw bellach. 'Dyn a ŵyr be ydi hi, na pha ddrwg sy'n llechu ynddi.'

Cerddodd o gwmpas y llwyn drain a chraffu ar y llong o gyfeiriad newydd. Estynnodd gic arall tuag ati.

'Dydw i ddim yn hoffi hyn o gwbl,' meddai. 'Ddim o gwbl. Rydw i'n mynd i nôl Siencyn.'

'Na, Dad.' Safodd Siân yn gadarn i'w rwystro. Llenwodd ei llygaid â dagrau. 'Wna i ddim gadael iti roi Eurog i'r hen swyddogion 'ny, ddim cyn iti ei weld e dy hunan. Ac rydw i wedi addo ei helpu i ddianc 'nôl i'w fyd ei hun.'

Pwysodd Dad ei ddwylo ar ei hysgwyddau. 'Mae'n flin gen i,' meddai'n ddwys, 'ond mae'n rhaid iti ddeall, nid anifail bach cyffredin yn cysgodi yn y sgubor ydi hwn ond creadur na wn i ddim amdano yn crwydro'n rhydd dros y tir. Ŵyr neb pa ddrwg mae e'n ei gynllunio neu'n ei wneud. Mae'n

68

rhaid i'r heddlu gael gwybod amdano ar unwaith.'

'Dydi e ddim yn cynllunio unrhyw ddrwg,' pwysleisiodd Siân. 'Llo bach ofnus ydi e.'

'Dydi lloi bach ofnus ddim yn teithio mewn peth fel'na,' cyfeiriodd Dad at y llong. 'Dydi e ddim o'n busnes ni. Fe ddewisodd fynd i grwydro ar ei ben ei hun yn lle aros yn y sgubor. Pam? Fe ddylai rhywun fynd ar ei ôl e—ond nid ein gwaith ni ydi hynny. Dere.'

'Dyna chi o'r diwedd.' Daeth llais Anti Bet i'w cyfarch wrth iddyn nhw droi i mewn i'r buarth. Doedd gan Siân ddim diddordeb mewn dim a ddywedai Anti Bet heddiw. Roedd ei meddwl hi'n berwi gan helynt Eurog. 'Mae'ch cinio chi'n barod ers chwarter awr a mwy,' meddai Anti Bet. 'Ble buoch chi?'

'Lawr wrth yr afon.' Tynnodd Dad ei law'n araf ar draws ei dalcen. 'Rydw i mewn penbleth, Bet,' meddai, 'ac mae'n rhaid imi ffonio Siencyn.'

Tynnodd ei sgidiau trymion a mynd trwodd i'r cyntedd yn nhraed ei sanau.

'A ble wyt ti'n mynd?' gofynnodd
Anti Bet, wrth weld Siân yn ei ddilyn.
'A beth sy'n dy gorddi di? Mae dy olwg
di fel taran.'

Chymrodd Siân ddim sylw ohoni.
Roedd hi'n benderfynol na châi Dad

ddim ffonio. Fe dynnai'r teclyn siarad o'i law a'i falu cyn y câi wneud. Ond doedd dim angen iddi hi wneud hynny. Cyn i Dad gael cyfle i godi'r derbynnydd fe ganodd y ffôn. Roedd y caniad mor sydyn fel y cawson nhw fraw ill dau.

Cafodd Dad godi'r ffôn, ond safodd Siân gerllaw er mwyn gwneud yn siŵr nad Siencyn neu un o'r hen swyddogion 'ny oedd yn siarad.

'Morus, Cae'rfelin,' meddai Dad. Yna, 'O, ti sy 'na Huws. Be sy?'

Ymlaciodd Siân. Fyddai Dad ddim yn sôn dim am Eurog wrth Mr. Huws.

'Na,' meddai Dad, 'fydda i byth yn cadw gwartheg ar y rhostir. Mae gen i ormod o barch i'r siglen . . . Wyt ti'n siŵr nad un o dy wartheg di sy yno? Wyt? Un ddieithr felly . . .'

Roedd yn amlwg fod Mr. Huws wedi gweld creadur dieithr yn crwydro ar y rhos yn agos i'r siglen . . . yn sydyn, cydiodd ofn yn dynn ynddi. Tynnodd wrth fraich Dad.

'Beth os mai Eurog ydi e?' gofynnodd yn grynedig. 'Y llo bach o'r gofod.'

71

'Y nefoedd fawr,' ebychodd Dad. 'Na, na popeth yn iawn, Huws. Siarad â Siân oeddwn i. Mae'n bosib mai un o'n rhai ni ydi e wedi'r cwbl. Fe af i weld. Diolch am ffonio.'

Rhoddodd y ffôn yn ôl yn ei le. 'Wel, Siân,' meddai, 'os ydi dy greadur di yn y siglen, mae'n well inni fynd ar unwaith!'

Peidiodd Anti Bet â grwgnach pan glywodd hi fod creadur wedi'i ddal yn y siglen. 'O'r gore, ewch chi, ond fe fydd y cig eidion yma'n grimp os na ddowch chi ato cyn hir,' rhybuddiodd.

Crynodd Siân. Doedd dim chwant bwyd arni o gwbl. Casglodd Dad sachau, rhaff a styllod o'r certws. Nid dyma'r tro cyntaf iddo fe achub anifail o'r siglen. Dringodd Siân i'r bocs yng nghefn y tractor.

'Wyt ti'n barod?' gwaeddodd Dad.

'Ydw.'

Cododd Dad y bocs a thaniodd y peir- iant. Roedden nhw ar eu ffordd. Teimlai Siân yn fodlon. Roedd hi'n gwybod y gallai hi ddibynnu ar Dad mewn argyfwng. Aeth y tractor ar hyd y lôn a throi am y rhiw. Diflannodd y llwybr ar ben y rhiw a bu rhaid iddyn nhw groesi'r rhostir agored.

'Oes, mae rhywbeth wedi'i ddal yn y siglen,' gwaeddodd Dad cyn hir.

Ysai Siân am gael dod allan o'r bocs gan nad oedd yn gweld dim. O'r diwedd, arafodd Dad ac atal y peiriant. Doedd hi ddim yn ddiogel gyrru 'mhellach, gan fod y tir yn rhy soeglyd. Neidiodd Siân i lawr a chraffu i weld beth oedd yn y siglen. Eurog oedd e. Roedd ei gyrn euraid yn disgleirio, er gwaetha'r glaw.

'Paid â symud,' gwaeddodd arno. 'Paid ag ymdrechu dim neu fe suddi di'n is. Mae Dad yn dod i dy helpu di.'

'Does arna i ddim eisie help,' clywodd yr ateb gwan. 'Dyma'r ffordd ore. Os diflanna i, fe fydd Doffa'n ddiogel am byth.'

'Y nefoedd fawr,' ebychodd Dad pan glywodd e Eurog yn siarad, ond ddywedodd e ddim mwy. Roedd yn rhy brysur yn paratoi i groesi'r siglen at y Doffyn bach.

'Paid â bod yn ffôl,' gwaeddodd Siân ar Eurog. 'Does dim diben mewn boddi. Bydd Doffa'n ddiogel. Does neb heblaw am Dad a fi'n gwybod dy fod . . .'

'Does gen i ddim ffydd mewn unrhyw ddwy goes. Fe ddanfonest ti'r creadur hyll hwnnw i'r sgubor i 'nal i.'

'Wnes i ddim, wir Eurog.'

Erbyn hyn, roedd Dad wedi tynnu'i gôt, wedi clymu'r rhaff o gwmpas ei ganol, rhoi tro ynddo o gylch coeden a rhoi'r gweddill o gwmpas ei ysgwydd. Roedd yn taenu'r sachau'n ofalus ar wyneb y siglen ac yn gosod y styllod tenau drostyn nhw, fel math o lwybr iddo ef gerdded ar hyd iddo.

'Dal i siarad ag e, Siân,' anogodd. 'Mae'r glaw wedi gwneud pethe'n fwy

anodd. Fe gymer amser imi ei gyr-raedd.'

'Ewch i ffwr'. Does dim angen help arna i.'

'Nawr gwranda,' meddai Dad yn bendant. 'Os boddi di yn y siglen, beth fydd hanes y nesa o dy siort di i gyr-raedd yma? Pwy sy'n mynd i ofalu amdano fe? Dydw i ddim am gael llonge o'r gofod yn glanio yng Nghae'r-felin byth a hefyd. Does gen i mo'r amser i drafferthu â nhw. Fe dynna i di allan o fan'na ac fe gei di fynd tua thre a rhybuddio pawb i aros gartre. Dyna'u lle nhw, ac felly fe fydd pawb yn fodlon.'

Atebodd Eurog mohono ar unwaith ond ymhen eiliad neu ddwy, wedi iddo gael amser i feddwl, meddai'n betrus, 'Rwyt ti'n siarad yn gall, ddwy goes, ond . . . ond fedra i ddim dianc oddi yma. Ac rydw i'n ame a fedri di f'achub i chwaith.'

'Fe wna i 'ngore,' addawodd Dad.

Roedd yn symud yn nes at Eurog o hyd; yn cropian dros y styllod, gan brofi'i bwysau cyn symud modfedd.

Roedd yn boenus o araf ond gwyddai Siân nad oedd wiw iddo frysio.

Druan o Eurog! Roedd e hyd ei wddf yn y llaid. Dim ond ei ben, un ysgwydd ac un goes flaen oedd yn rhydd ganddo. Ow, roedd Dad yn araf.

'Brysia, Dad, brysia,' crefodd Siân o dan ei hanadl.

Ac ymhen hir a hwyr, fe gyrhaeddodd Dad at y pen melyn. Clymodd y rhaff o gwmpas y goes a'r ysgwydd oedd yn rhydd, yna gwthiodd yr olaf o'r styllod i'r llaid dan gorff y creadur bach. Gallai Siân ei glywed yn siarad er mwyn calonogi Eurog. 'Nawr 'te,' meddai, wedi gwthio'r styllen i'r siglen, 'pwysa ar honna. Fedri di ei theimlo dan dy draed?'

Roedd yn gwneud ei orau i droi'r styllen er mwyn ei lleoli'n gyfleus i Eurog. Clywai Siân ef yn anadlu'n drwm wrth ymdrechu. Oedd e'n mynd i lwyddo?

'Aaaaa . . .'

Clywodd ochenaid druenus gan Dad.

'Be sy?' galwodd, wedi'i dychryn i'r gwraidd.

'Y styllen 'di suddo.'

Pwysodd Siân ymlaen ar flaenau'i thraed er mwyn gweld yn well. Gwelodd Dad yn gorwedd ar ei hyd ar y styllen oedd yn ei gynnal yntau ac yn estyn ei freichiau i'r llaid ac yn tynnu gyda'i holl nerth ar y rhaff. Roedd honno'n llithrig a chollodd ei afael dro ar ôl tro, ond yn y diwedd gwelodd fod y corff bach melyn yn codi'n araf o'r llaid.

Tynnodd Dad Eurog fesul modfedd, nes ei fod e'n gorwedd o'i flaen ar y styllen. Cododd Eurog ar ei draed yn sigledig a cherdded yn betrus dros y styllod i ddiogelwch y tir cadarn. Ni symudodd Dad. Gorweddodd yn ei unfan yn berffaith lonydd am ysbaid. Syllodd Siân arno a'i chalon yn ei thagu. Ond, ymhen hir a hwyr, fe drodd a chropian nôl tuag ati'n araf.

Gorweddodd wrth ochr Eurog ar y glaswellt gwlyb. Glynai'r llaid drewllyd wrth gyrff y ddau ac roedden

nhw'n wlyb diferol—ond roedden
nhw'n ddiogel. Dad gododd yn gyntaf.

'Mi suddaist yn ddwfn,' meddai
wrth Eurog.

'Rydw i'n ddiolchgar iti,' meddai'r
Doffyn. 'Rwyt ti wedi achub fy mywyd
i. Mae'r fath gymwynas gan ddwy
goes yn wyrthiol. Fe gofia i amdano.
Fe sonia i am hyn yn y Gynhadledd
nesa ar Ddoffa . . . os gwela i Ddoffa eto,'
ychwanegodd yn drist.

'Paid â phryderu am hynny nawr,'
meddai Dad. 'Dringa i focs y tractor

gyda Siân. Siân, taena'r sache 'na
drosto rhag ofn inni gwrdd â rhywun
sy'n berchen ar fwy o drwyn nag o syn-
nwyr. Bydd y swyddogion 'ny 'nôl cyn
hir ac fe hoffwn i gael gair gydag . . .
ym . . . Eurog, cyn iddyn nhw gael
gafael arno. Mae'n bosib y . . .'

'Dad, beth am y llong?' Cofiodd Siân
amdani'n sydyn.

'Beth amdani?'

'Mae hi i lawr wrth yr afon, a bydd y
milwyr yn siŵr o'i darganfod hi!'

'Rwyt ti'n llygad dy le,' cytunodd
Dad, 'ac wedyn fe fyddan nhw'n bla
yma fel cacwn yng ngheg pot jam.
Mae'n well inni fynd i'w nôl hi, debyg.
Ond mae 'mol i'n galw ers meitin. Mae

82

chwant bwyd arnat ti hefyd, goelia i,'
meddai wrth Eurog.

'Oes,' cyffesodd hwnnw, mewn llais
main.

'Fe symudwn y llong ac yna mynd i
fwyta,' meddai Dad.

Roedd codi'r llong o'r dŵr ac i'r lan
yn hawdd gyda'r tractor.

'Wn i ddim sut i'w symud hi o 'ma
chwaith,' meddai Dad. 'Mae hi'n rhy
drwm i fynd i'r bocs.'

'Llusga hi,' awgrymodd Eurog. 'Mae
hi'n llusgo'n hawdd.'

'Wnaiff hynny ddim niwed iddi?'

'Ddim o gwbl. Mae'r aloi yma'n wydn iawn. Ei unig anfantais ydi ei fod e'n drwm.'

'Bacha hi tu ôl felly,' meddai Dad. 'Cynta i gyd, gore i gyd.' Crynodd. 'Fe fydd yn dda gen i gael dillad sych a glân amdana i hefyd.'

Gyrrodd ar hyd y lôn gan lusgo'r llong. Gyda'u bod nhw'n cyrraedd gât y buarth gwelodd Siân y car mawr du yn eu dilyn. Trodd ei chylla'n boenus. Oedden nhw'n mynd i gael eu dal?

'Be' wnawn ni?' galwodd ar Dad, uwch dwndwr y tractor.

'Paid â phoeni,' atebodd e.

Gyrrodd Dad y tractor i mewn i'r buarth ac aros. Daeth y car drwy'r gât ac aros yn ymyl y tractor. Dringodd y prif swyddog allan o'r car. Dringodd Dad i lawr o'r tractor.

'P'nawn da,' meddai'n ddymunol. 'Gawsoch chi ginio da?'

'Digon da,' atebodd y swyddog yn gwta. 'Wyneb sâl ar y lôn acw.'

'Sâl iawn,' cydymdeimlodd Dad. 'Bûm i'n pwyso ar y Cyngor Sir ers

blynyddoedd i'w wella, heb lwyddo.
Falle y medrech chi, wŷr pwysig, roi
gair bach drosta i . . .'

'Does gennym ni ddim amser i'w
wastraffu ar y fath fanylion,' meddai'r
gŵr, 'a phethe mwy pwysig yn hawlio'n
sylw.'

'Debyg iawn,' meddai Dad. Yna, 'Fe
wnewch chi f'esgusodi i yn eich croes-

awu chi yn y fath gyflwr? Rydw i 'di bod yn tynnu llo o'r siglen ar y rhos. Lle ofnadwy—amhosib ei sychu.'

Camodd at y bocs, a than drwyn y swyddog cododd Eurog yn ei sachau a'i gludo i mewn i'r sgubor. Wnaeth y swyddog mo'i atal nac amau'i air.

Wedi dod o'r sgubor, gyrrodd Dad y tractor yn nes at y certws, dadfachodd y llong ofod a throi'r tractor fel y medrai'i ddefnyddio i'w gwthio drwy'r drws ac o'r golwg. Prin y sylwech arni ymhlith yr hen beiriannau yn y certws.

Aeth Siân i'r sgubor i gael gair ag Eurog. 'Wyt ti'n iawn?' gofynnodd.

'Ydw, diolch,' atebodd.

Daeth Dad atyn nhw toc, gyda bwcedaid o ddŵr a lliain sych.

'Mae'n debyg yr hoffet ti dwtio rywfaint,' meddai, gan eu cynnig i Eurog. 'Falle'i fod e'n anghynnes arna i'n cadw creadur call fel ti allan yma'n y sgubor, ond wir, wn i ddim yn iawn beth iw wneud â thi. Pe bait ti'n cytuno i dy ddangos dy hun i'r swyddogion, mae'n debyg y caet ti groeso gyda'r gore. Mae'r wlad hon yn enwog am garedigrwydd ei phobl tuag at anifeiliaid . . .'

'Ydi,' ochneidiodd Eurog, 'ond nid anifail ydw i. Mae'n rhaid imi ddychwelyd i'r byd lle rydw i'n berson. Ond, am y tro, mae'n well gen i aros gyda Seren. Falle y medra i ei helpu hi yn ystod yr orie nesa 'ma—yn dâl iti am dy garedigrwydd imi.'

'Wel,' meddai Dad, 'os wyt ti'n siŵr . . .'

'Ydw. Fydde 'mhobl i a'ch pobl chi byth yn cyd-fyw'n hapus. Mae'n well inni aros ar wahân.'

'Ti ŵyr,' meddai Dad. 'Ond beth am fwyd? Fe ddo i â thamaid iti o'r tŷ. Beth hoffet ti ei gael?'

'Fe ranna i fwyd Seren,' meddai Eurog. 'Mae e braidd yn arw, ond dydyn ni ddim yn disgwyl moethau wrth grwydro'r gofod.'

'Dyna ni 'te,' meddai Dad. 'Dere Siân. Mae'n hen bryd inni 'molchi a bwyta.'

Wrth groesi'r buarth, 'Soniwn ni ddim wrth Anti Bet am hyn,' meddai

Dad. 'Dydi hi ddim yn hoffi ymwelwyr. Fe gaiff hyn aros yn gyfrinach rhyngot ti a mi.'

Roedd hynny wrth fodd Siân.

Chwarddodd yn sydyn. 'Roedd yn ddigri pan oeddet ti'n cario Eurog i'r sgubor,' meddai, 'a'r swyddog yn rhythu arnat ti. Wyt ti'n meddwl eu bod nhw'n gwybod mai am Eurog a'i long maen nhw'n chwilio?'

'Dydyn nhw ddim yn gwybod yn iawn am be' maen nhw'n chwilio,' meddai Dad. 'Dyna sut y llwyddon ni i'w twyllo nhw.'

Chwarddodd y ddau a cherdded yn hamddenol i'r tŷ.

# PENNOD 7

Roedd 'na fynd a dod mawr drwy'r prynhawn yn ffermdy Cae'rfelin. Y parlwr oedd canolfan y prysurdeb ac yno y bu nifer o swyddogion yn yfed te ac yn dadlau a thrafod. Prysurai dynion llai pwysig i mewn ac allan drwy ddrws y ffrynt gan gludo negeseuon i'r parlwr. Yn eu plith nhw yr oedd Siencyn, y plismon. Welsai Siân erioed y fath ffwdan. Nôl y gwartheg i'w godro oedd hi a Dad pan welson nhw'r prif swyddog yn mynd at ei gar. Roedd golwg fodlon iawn arno.

'Gawsoch chi'r hyn roeddech chi'n chwilio amdano?' gofynnodd Dad yn ddiniwed.

'Nid eich busnes chi ydi hynny,' atebodd y dyn, 'ond fe fedra i ddweud ein bod ni wedi gorffen ein gwaith yma. Fe gewch lythyr swyddogol i ddiolch i chi am eich cydweithrediad.'

'Diolch yn fawr,' meddai Dad ac fe allai Siân ei glywed yn chwerthin yn dawel bach.

Mewn llai na hanner awr roedden nhw wedi mynd bob un, y swyddogion, y milwyr, pawb, heblaw am Siencyn. Fe oedodd e ar ganol y buarth yn sgwrsio gyda Dad.

'Ceffyle blaen,' grwgnachodd, 'yn dod yma i geisio 'nysgu i sut i drefnu pethe ar 'y nghlwt fy hun.'

'Beth oedden nhw'n ei wneud yma 'te,' holodd Dad yn wynebsyth, 'chwilio am botsiers?'

Chwilio am botsiers oedd y gwaith mwya cyson a gâi Siencyn a rhaid nodi nad oedd e'n llwyddo i ddal llawer ohonyn nhw!

'Na,' ebe fe'n ddirmygus, 'yr hen long ofod 'na. Roedd rhyw ffŵl yn mynnu ei bod hi wedi glanio yma.'

'Does bosib,' ffrwydrodd Dad, yn ffug syndod i gyd. 'Welson nhw ryw olion ohoni?'

'Fe ddechreuon nhw gynhyrfu pan ddaethon nhw ar draws y darn grug hwnnw a losgaist ti'r hydref diwetha. Doedden nhw ddim yn fodlon iawn pan eglurais i wrthyn nhw beth oedd e. Galwodd y coegyn het ddu hwnnw fi'n ffŵl. Fe gawson nhw hyd i ddarne o'r awyren 'na ddaeth i lawr ar y ffridd flynyddoedd yn ôl, wedyn. Eglurais i ddim beth oedd y rheiny. Doedd arna i ddim awydd cael fy ngalw'n ffŵl ddwywaith.'

Chwarddodd Dad.

'Tyrd i'r tŷ am lymaid bach,' croesawodd, 'gwnaiff ddaioni iti.'

Aeth Siân i'r tŷ gyda nhw. Tynnodd Siencyn y llenni cyn cyffwrdd â'i wydr.

'Does dim sicrwydd pwy fydd o gwmpas,' meddai, 'ac rydw i'n gwisgo 'ngwisg swyddogol.'

Pesychodd Dad yn drwm.

Ganwyd lloi Seren, gyda help Eurog, cyn swper. Dau lo bach del. Roedd Dad wrth ei fodd.

'Rwyt ti 'di arbed coste'r ffarier imi,' meddai wrth Eurog. 'Fydde Seren ddim wedi geni'r rhain heb help.'

'Croeso,' meddai Eurog, 'ond mae'n biti eu bod nhw'n cael eu magu i fod yn dwp.'

'Wn i ddim,' gwenodd Dad. 'Peth annifyr iawn fyddai cael yr awyr yn llawn o loi yn neidio dros y lleuad.'

'Ac i mewn i siglen y rhos,' ychwanegodd Siân.

Chwarddodd y tri, ond roedd sŵn ansicr braidd yn chwerthiniad Eurog.

Ymhen deuddydd roedd pob dim yn barod i Eurog gael dychwelyd i Ddoffa. Ceisiodd Siân a Dad ei gymell i aros yn hwy er mwyn gweld mwy o'r ardal, ond ni fynnai hynny. Roedd e wedi gweld cymaint ag a ddymunai eisoes.

Roedd hi'n noson braf pan gychwynasant am y rhos. Bachwyd y llong wrth gefn y tractor ac i ffwrdd â nhw. I arbed unrhyw holi anghyfleus, roedd Dad wedi perswadio Anti Bet i fynd i ymweld â Mam yn yr ysbyty.

Wedi cael hyd i ddarn o dir addas, dadfachwyd y llong a gyrrodd Dad y tractor o'r naill du, er mwyn rhoi digon o le iddi hi fagu egni cyn codi.

'Ddo i ddim yma eto,' meddai Eurog wrth ffarwelio, 'fi, nac unrhyw Ddoffyn

arall. Fe rybuddia i fy mhobl rhag dod i'r adran hon o'r gofod—ond wna i mo'ch anghofio chi'ch dau. Diolch ichi am eich caredigrwydd imi. Fe gara i fy nwy goes i'n well o'ch herwydd chi.'

Prin y medrai Siân gadw'i dagrau nôl.

Gwyliodd Eurog yn croesi at ei long. Gwelodd yr ysgwyddau melyn yn plygu drwy'r drws wrth ei hochr. Chwifiodd ei gynffon euraid unwaith ac yna caeodd y drws. Daeth ffrwd o aer cynnes, fflam fechan, ac yn sydyn

doedd y llong yn ddim mwy na smotyn
yn diflannu i ganol y sêr.

'Fe aeth yn gyflym iawn,' meddai
hi'n drist.

'Roedd yn rhaid iddo symud yn
gyflym,' meddai Dad, 'mae ganddo
siwrne hir.'

Nid dyna ddiwedd y stori, ddim yn
hollol. Fe fu cyfeiriad at y llong ofod ar
y newyddion un noson. Clywodd Siân
y darlledwr yn dweud, '. . . y darnau a
ddarganfuwyd wrth ymchwilio i ddir-
gelwch y llong ofod dybiedig yn

ddarnau o awyren gyffredin. Derbyn-
iwyd bellach, os bu llong ofod o gwbl,
iddi ffrwydro cyn glanio.'

'Yr holl helynt yna am ddim,'
meddai Anti Bet.

'Ie, 'ntê,' cytunodd Dad.

Ddywedodd Siân ddim ond gwenodd
yn gyfrwys wrth beintio'r pyped a lun-
iodd. Llo oedd e, a phen mawr ganddo.
Roedd hi'n goreuro'r cyrn ac roedden
nhw'n brydferth iawn. Dyna anrheg
hyfryd i groesawu Mam adre o'r
ysbyty.